Le Bouclier canadien

Tina Schwartzenberger

Weigl

CALGARY
www.weigl.com

Publié par Weigl Educational Publishers Limited
6325, 10ᵉ, rue S.-E.
Calgary, Alberta, Canada
T2H 2Z9

Site web : www.weigl.ca

Catalogage avant publication de Bibliothèque et Archives Canada (pour la version en anglais)

Schwartzenberger, Tina

Le Bouclier canadien / Tina Schwartzenberg.

(Les régions géographiques du Canada)
Traduction de: The Canadian Shield.
Comprend des réf. bibliogr. et un index.
ISBN 978-1-55388-553-5

1. Bouclier canadien--Géographie--Manuels scolaires.
I. Titre. II. Collection: Régions géographiques du Canada
(Calgary, Alb.)

FC58.S3914 2009   917.14   C2009-904408-0

Imprimé aux États-Unis d'Amérique
1 2 3 4 5 6 7 8 9 0   13 12 11 10 09

SOURCE DES PHOTOGRAPHIES : Tous les efforts raisonnables ont été mis en œuvre pour obtenir les autorisations nécessaires afin d'assurer la protection des droits d'auteur. Toute erreur ou omission signalée aux éditeurs sera corrigée dans les tirages ultérieurs.

PAGE COUVERTURE : Les aurores boréales sont fréquentes au nord du soixantième parallèle, où se trouve la majeure partie du Bouclier canadien.

Page couverture (recto) : **Wayne R. Bilenduke/Photographer's Choice/Getty Images** ; page couverture (verso) : **Norbert Rosing/National Geographic/Getty Images** ; pages 3 (Wayne R. Bilenduke/Photographer's Choice), 4 G (Steve Bly/The Image Bank), 4 CG (Paul Nicklen/National Geographic), 4 CD (Philip & Karen Smith/Stone), 4 D (Francesca York/Dorling Kindersley), 5 C (Raymond K. Gehman/National Geographic), 5 D (John Dunn/National Geographic), 5 D (Ed Simpson/Stone), 6 (Altrendo nature/Altrendo), 7 G (Photodisc Collection/Photodisc Blue), 7 D (Raymond Gehman/National Geographic), 11 (Hans Strand/The Image Bank), 13 G (Grant Dixon/Lonely Planet Images), 13 D (S. Lowry/Univ Ulster/Stone), 14 (Hulton Archive), 15 (Norbert Rosing/National Geographic), 16 (Time Life Pictures), 17 (Hulton Archive), 18 (John Dunn/National Geographic), 19 (Eastcott Momatiuk/The Image Bank), 20 (Jeremy Hoare/Life File/Photodisc Green), 21 (Raymond Gehman/National Geographic), 22 (Paul Nicklen/National Geographic), 23 (Grant Dixon/Lonely Planet Images), 24 (Grant Dixon/Lonely Planet Images), 25 (Norbert Rosing/National Geographic), 28 (David R. Frazier/Stone), 29 (Wayne R. Bilenduke/Stone), 30 (George F. Herben/National Geographic), 31 (Lester Lefkowitz/The Image Bank), 32 (Alexandra Grablewski/Botanica), 33 (Michael Orton/Stone), 34 (PhotoLink/Photodisc Green), 35 (Peter Essick/Aurora), 36 (Eastcott Momatiuk/The Image Bank), 37 (Jim Merli/Visuals Unlimited), 38 (Peter Essick/Aurora), 40 (Raymond Gehman/National Geographic), 41 (Astromujoff/The Image Bank), 42 (Nancy Simmerman/Stone), 43 HG (Getty Images/Taxi), 43 HD (Nicholas Veasey/Photographer's Choice), 43 CG (Tom Schierlitz/The Image Bank), 43 CD (Bill Greenblatt/Liaison), 43 BG (Maria Stenzel/National Geographic), 43 BD (Bryce Flynn Photography Inc/Taxi), 44 G (Stockdisc/Stockdisc Classic), 44 C (Ryan McVay/Photodisc Green), 44 D (C Squared Studios/Photodisc Green), 45 G (Tom Schierlitz/The Image Bank) et 45 D (Stockdisc/Stockdisc Classic) : **Getty Images.**

Révision
Frances Purslow
Janice L. Redlin
Arlene Worsley

Conception
Terry Paulhus

Mise en pages
Kathryn Livingstone
Gregg Muller

Recherche de photos
Annalise Bekkering
Jennifer Hurtig

Nous reconnaissons l'aide financière du gouvernement du Canada par l'entremise du Programme d'aide au développement de l'industrie de l'édition (PADIÉ) pour ce projet.

TABLE DES MATIÈRES

Les régions du Canada 4

Bienvenue au Bouclier canadien! 6

Carte des régions géographiques
du Canada 8

La formation de la Terre 10

Retour dans le passé 12

Les premiers habitants 14

L'exploration et la traite
des fourrures 16

Les légendes du
Bouclier canadien 18

Les forêts et l'eau 20

Les formations géologiques 22

Hivers longs, étés courts 24

Cartes du climat 26

Les incendies ravageurs 28

Les ressources naturelles 30

Les sols du Bouclier canadien 32

Végétation clairsemée 34

La vie animale 36

Les changements et les défis 38

La vue d'en haut 40

La géologie et ses outils 42

Trace une carte topographique 44

Navigue dans ton quartier 45

Lectures complémentaires 46

Glossaire 47

Index 48

Les régions du Canada

Le Canada est le deuxième pays du monde en superficie. Il occupe une immense partie de l'Amérique du Nord. L'étude de sa géographie permet d'en faire ressortir sept régions distinctes, chacune avec ses reliefs, son climat, sa végétation et sa faune ; elle nous permet également de comprendre les habitants de ces régions, avec leur histoire et leur culture. Le mot géographie provient d'un mot grec qui signifie « description de la Terre ».

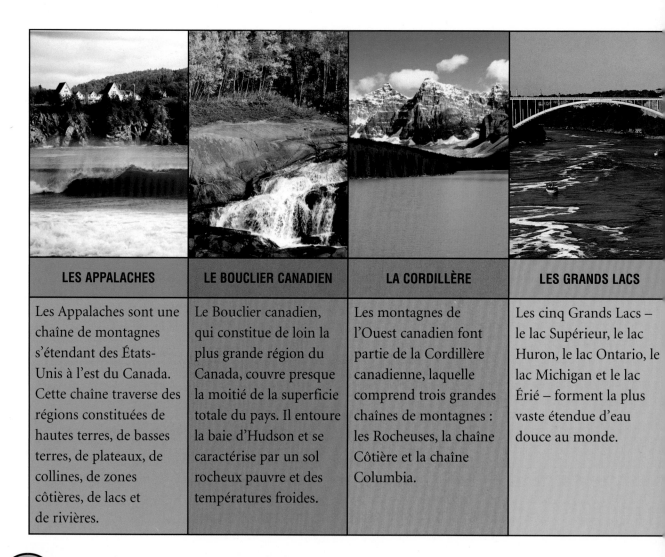

LES APPALACHES	LE BOUCLIER CANADIEN	LA CORDILLÈRE	LES GRANDS LACS
Les Appalaches sont une chaîne de montagnes s'étendant des États-Unis à l'est du Canada. Cette chaîne traverse des régions constituées de hautes terres, de basses terres, de plateaux, de collines, de zones côtières, de lacs et de rivières.	Le Bouclier canadien, qui constitue de loin la plus grande région du Canada, couvre presque la moitié de la superficie totale du pays. Il entoure la baie d'Hudson et se caractérise par un sol rocheux pauvre et des températures froides.	Les montagnes de l'Ouest canadien font partie de la Cordillère canadienne, laquelle comprend trois grandes chaînes de montagnes : les Rocheuses, la chaîne Côtière et la chaîne Columbia.	Les cinq Grands Lacs – le lac Supérieur, le lac Huron, le lac Ontario, le lac Michigan et le lac Érié – forment la plus vaste étendue d'eau douce au monde.

Différents reliefs façonnent le Canada, tels que la **toundra** arctique, les basses terres fertiles, les plaines onduleuses, les montagnes majestueuses et les forêts étendues. Chaque type de terrain abrite une variété de plantes, d'animaux, de ressources naturelles, d'industries et de gens.

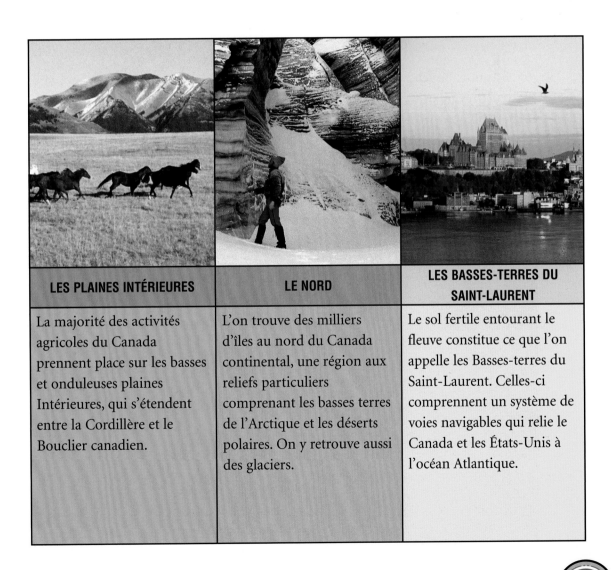

LES PLAINES INTÉRIEURES	LE NORD	LES BASSES-TERRES DU SAINT-LAURENT
La majorité des activités agricoles du Canada prennent place sur les basses et onduleuses plaines Intérieures, qui s'étendent entre la Cordillère et le Bouclier canadien.	L'on trouve des milliers d'îles au nord du Canada continental, une région aux reliefs particuliers comprenant les basses terres de l'Arctique et les déserts polaires. On y retrouve aussi des glaciers.	Le sol fertile entourant le fleuve constitue ce que l'on appelle les Basses-terres du Saint-Laurent. Celles-ci comprennent un système de voies navigables qui relie le Canada et les États-Unis à l'océan Atlantique.

Bienvenue au Bouclier canadien!

S'étendant sur presque la moitié du Canada, le Bouclier canadien est la plus vaste région géographique du pays. Cette immense zone couvre la majeure partie du Québec, de l'Ontario et de Terre-Neuve-et-Labrador, le nord du Manitoba et de la Saskatchewan ainsi que des parties de l'Alberta, des Territoires du Nord-Ouest et du Nunavut. Le bouclier déborde aussi dans les États américains du Minnesota, du Wisconsin, du Michigan et de New York.

« Le Bouclier canadien, plus grande région du Canada, s'étend sur six provinces et deux territoires. »

Vu des airs, le Bouclier ressemble à un fer à cheval dont la baie d'Hudson occupe le centre. Des collines rocheuses, de hautes terres vallonnées, des forêts étendues et la toundra ponctuent le paysage. Le Bouclier avoisine d'autres régions comme les plaines Intérieures, le Nord et les Appalaches. Il chevauche aussi les États-Unis. Ainsi, le Bouclier décrit grossièrement un demi-cercle.

Le Bouclier canadien compte d'innombrables rivières et lacs dont la superficie va de l'étang à l'immense étendue comme le lac Athabasca.

Ce que renferme le Bouclier canadien

Le Bouclier compte peu de terres fertiles propices à l'agriculture. Il renferme des forêts denses, des ressources minérales et de l'eau. Ses nombreux lacs et rivières fournissent de l'électricité à une grande partie des Canadiens. Bien que le Bouclier soit rocheux, seulement 10 % des roches sont visibles. En effet, la plupart sont enfouies sous une mince couche de terre, la végétation dense ou les **fondrières**.

On trouve des ours noirs dans tout le Bouclier canadien. La diète de cet animal se compose à 95 % de végétaux et à 5 % d'insectes, de mammifères et d'oiseaux.

Les arbres comme les bouleaux poussent jusqu'à l'extrémité nord du Bouclier.

LE SAVAIS-TU ?

▷ Les plateaux prédominent dans la partie orientale du Bouclier.

▷ Des rangées de collines s'étirent entre les hautes terres et les plateaux partout dans le Bouclier.

▷ Le granite et le gneiss sont les roches les plus communes du Bouclier.

Carte des régions géographiques du Canada

Cette carte du Canada montre les sept régions géographiques du pays, qui sont divisées selon leur topographie (hautes montagnes, vallées fluviales, toundra arctique, prairies onduleuses, etc.). Ces régions géographiques sont parmi les plus variées de la planète.

L'étude d'une carte des régions géographiques du Canada contribue à la compréhension de celles-ci ainsi que de l'ensemble de la nation.

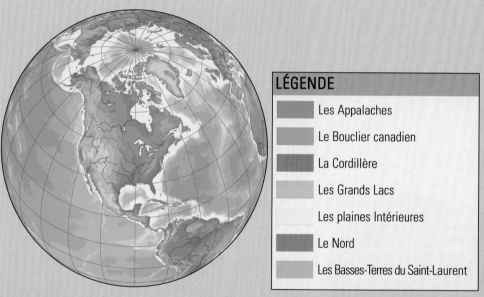

LÉGENDE

- Les Appalaches
- Le Bouclier canadien
- La Cordillère
- Les Grands Lacs
- Les plaines Intérieures
- Le Nord
- Les Basses-Terres du Saint-Laurent

Longitude et latitude

La longitude est la distance entre un point de la carte et une ligne imaginaire verticale appelée méridien origine, qui parcourt le globe du pôle Nord au pôle Sud.

La latitude est la distance entre un point de la carte et une ligne imaginaire horizontale appelée équateur, qui parcourt le centre du globe.

L'échelle cartographique

Une échelle cartographique est une formule qui précise comment calculer les distances sur une carte.

```
0          500 kilomètres
```

La rose des vents

La rose des vents indique sur la carte les points cardinaux – nord, sud, est et ouest – de même que les points collatéraux – nord-est, sud-est, nord-ouest et sud-ouest.

La formation de la Terre

L es géographes et les autres scientifiques étudient les régions géographiques, le climat, les animaux et la végétation. Les scientifiques ont appris que de nombreuses régions dans différents continents possèdent des caractéristiques similaires.

La Pangée

La raison pour laquelle la Terre comporte des régions semblables dans différents pays est que la planète n'a déjà compté qu'un seul continent. En 1912, Alfred Wegener, météorologue et géologue allemand, a nommé ce supercontinent Pangée. Il a énoncé l'hypothèse selon laquelle la Pangée couvrait presque la moitié du globe et était entourée d'un océan nommé Panthalassa. Il y a entre 245 et 208 millions d'années, la Pangée a commencé à se fractionner pour former sept continents : l'Afrique, l'Antarctique, l'Asie, l'Australie, l'Europe, l'Amérique du Nord et l'Amérique du Sud.

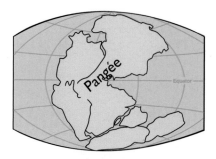

PERMIEN
Il y a 225 millions d'années

TRIAS
Il y a 200 millions d'années

JURASSIQUE
Il y a 135 millions d'années

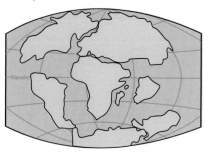

CRÉTACÉ
Il y a 65 millions d'années

Les roches anciennes exposent une longue histoire de formation de montagnes et d'érosion dans la région.

Partage du Bouclier

D'autres continents possèdent des régions similaires au Bouclier canadien. Le bouclier baltique, ou fennoscandien, s'étend sur la majeure partie de la Finlande, de la Suède et de l'est de la Norvège. Le bouclier africain couvre l'ouest de l'Arabie Saoudite, la moitié est de Madagascar et la moitié de l'Afrique.

Les boucliers continentaux contiennent des roches vieilles de millions d'années. Alors que tous les boucliers partagent des types similaires de sols, de plantes et d'animaux, le Bouclier canadien est le seul bouclier continental au monde qui a été affecté par les glaciers. Durant la dernière **période glaciaire**, les glaciers ont balayé la surface de la région, érodant encore plus le terrain.

Nom du Bouclier

En 1883, le géologue autrichien Eduard Suess a utilisé le terme « bouclier » pour décrire la région : il trouvait qu'elle ressemblait à un bouclier de guerrier étendu sur le sol.

LE SAVAIS-TU ?

- La partie septentrionale de la Pangée s'appelait Laurasie, et la partie méridionale, Gondwanie.

- *Pangée, mot grec, signifie « toute la Terre ».*

- La croûte terrestre se compose de nombreux panneaux nommés plaques. Ces plaques en mouvement continu bougent de 1,3 à 10 cm par année.

- Les scientifiques ont trouvé des fossiles de plantes tropicales et d'animaux en Amérique du Nord. Les fossiles indiquent aux scientifiques que ce continent s'est déjà trouvé plus au sud que maintenant.

Retour dans le passé

La formation du Bouclier canadien comme partie de la croûte terrestre (couche de surface) a débuté il y a environ trois milliards d'années. Cette période se nomme Précambrien, ce qui explique pourquoi le Bouclier canadien est parfois appelé bouclier précambrien. La formation de l'Amérique du Nord est décrite par les roches du Bouclier canadien, lesquelles racontent 85 % de l'histoire de la Terre.

La pression dans les profondeurs souterraines a plié et froissé les **roches métamorphiques** du Bouclier, formant des montagnes. La chaleur et la pression intenses ont aussi transformé les roches. Ainsi, les roches **ignées** sont devenues métamorphiques. Les températures élevées et la pression extrême ont entraîné la formation de **minéraux**. Aujourd'hui, le Bouclier est incroyablement riche en minéraux.

Depuis que les montagnes se sont formées, des milliards d'années d'érosion les ont usées. Le Bouclier, qui représente le reste de ces montagnes, constitue les fondations du continent nord-américain.

Érosion glaciaire sur la surface du Bouclier canadien

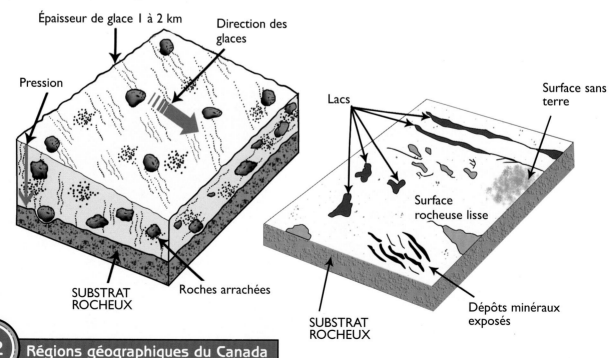

Épaisseur de glace 1 à 2 km

Direction des glaces

Pression

Lacs

Surface sans terre

Surface rocheuse lisse

SUBSTRAT ROCHEUX

Roches arrachées

Dépôts minéraux exposés

SUBSTRAT ROCHEUX

Les glaciers sculptent le terrain

Tandis que la température diminuait, les glaciers se sont étendus dans l'Amérique du Nord. On a ainsi assisté à une période glaciaire. Durant les quatre périodes glaciaires, qui ont duré 100 000 ans chacune, des couches de glace ont érodé les montagnes qui couvraient jadis le Bouclier canadien.

Les températures chaudes ont accru l'érosion des montagnes due aux glaces, laissant une très mince couche de sol à la surface du **substrat rocheux**. La base désormais exposée des montagnes a formé la surface du continent.

Le mouvement glaciaire a creusé de profonds gouffres et vallées, formant des dépressions qui sont devenues des lacs et des rivières quand l'eau de fonte des glaciers les a comblées.

On pense que la glace qui couvrait le Canada durant la dernière période glaciaire provenait de la calotte glaciaire Penny dans le parc national Auyuittuq.

QUE S'EST-IL PASSÉ DURANT LE PRÉCAMBRIEN ?

Dans l'histoire de la Terre, le Précambrien est la plus longue et la plus vieille période qu'il est possible d'étudier aujourd'hui. Pendant 3,5 milliards d'années, les océans et l'atmosphère se sont formés à partir de gaz que les éruptions volcaniques ont laissé échapper des brûlantes entrailles du globe. L'azote gazeux, le dioxyde de carbone, et la vapeur d'eau se sont alors combinés, formant l'atmosphère. Pendant que la planète se refroidissait, la vapeur d'eau s'est condensée, puis est retombée au sol sous forme de précipitations.La vie sur Terre a débuté à l'époque précambrienne. Les scientifiques ont trouvé des **fossiles**, comme des **procaryotes**, dans les roches sédimentaires. Les procaryotes sont apparus il y a entre 3,5 et 3,8 milliards d'années. Ces organismes simples étaient anaérobiques : ils n'avaient pas besoin d'oxygène. Lors des débuts de la Terre, l'oxygène était rare dans l'atmosphère.

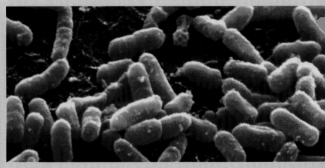

Les premiers habitants

Bien que le Bouclier soit aujourd'hui peu peuplé, la région est habitée depuis aussi longtemps que l'humain peut se rappeler. Certains scientifiques croient que le premier peuple à avoir vécu dans le Bouclier était les Paléoindiens, connus comme étant les Archaïques du Bouclier. Ils vivaient de la chasse au gros gibier, comme les mammouths, les bisons à grosses cornes et possiblement des mastodontes.

Anciennes traces

Au début des années 60, on a découvert près de la rivière Acasta, à 130 km au sud-est du Grand lac de l'Ours dans les Territoires du Nord-Ouest, des traces de la présence des Archaïques du Bouclier. Trente ans plus tard, on a trouvé au même endroit certaines des roches connues les plus vieilles du monde.

> **«** Certains scientifiques croient que le premier peuple à avoir vécu dans le Bouclier était les Paléoindiens, connus comme étant les Archaïques du Bouclier. **»**

Depuis la période glaciaire, les peuples se sont adaptés à la vie dans la forêt boréale du Bouclier. Ils ont commencé à s'étendre vers le sud et l'est, jetant les racines culturelles des peuples **algonquiens** d'aujourd'hui.

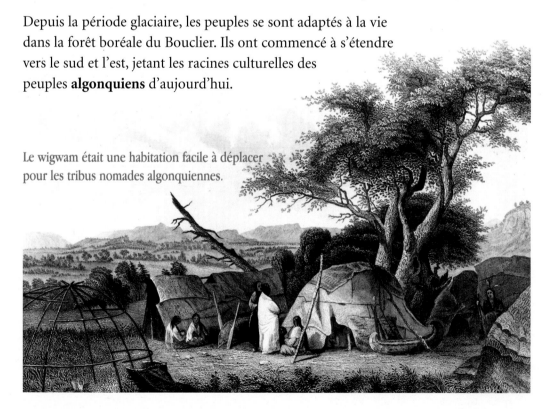

Le wigwam était une habitation facile à déplacer pour les tribus nomades algonquiennes.

Arrivée des Inuits

Les premiers Inuits sont arrivés en Amérique du Nord il y a 4 000 ans. Ils se sont adaptés à la vie à l'extrémité nord de la **forêt boréale**.

Les Athapascans, ou Dénés, et les Algonquiens habitaient les forêts du Bouclier. Les Algonquiens englobent les Naskapis, les Ojibways, les Cris, les Outaouais, les **Algonquins** et les Montagnais, ou Innus. Les groupes familiaux s'étendent dans la région.

Colonisation du Bouclier

Les habitants vivaient en petits groupes. Les grands groupes ne pouvaient pas survivre, car l'accès à la nourriture était limité. Des groupes de chasseurs utilisaient des lances, des arcs et des flèches, ainsi que des pièges. Ils chassaient le caribou, l'orignal, le castor et l'ours. L'oie représentait pour les Cris une excellente nourriture, qu'ils congelaient pour manger ultérieurement. On pouvait aussi pêcher des poissons dans les nombreux lacs et rivières de la région.

Les premiers habitants du Bouclier étaient nomades : ils se déplaçaient, souvent aux changements de saisons. L'on utilisait des chiens pour tirer les objets d'un campement à l'autre. Ces peuples vivaient dans des wigwams, habitations faites de peaux de caribous ou d'orignaux posées sur une structure.

Les igloos en forme de dômes, autrefois les habitations des Inuits, sont construits en spirale de l'intérieur.

QUI HABITE LE BOUCLIER CANADIEN ?

Aujourd'hui, 8 % des Canadiens habitent le Bouclier, soit plus de deux millions de personnes au Québec et en Ontario. Les Autochtones qui s'y trouvent vivent près des villes minières ou forestières.

Le Bouclier abrite de nombreuses communautés de petite et moyenne tailles. La plupart comptent de 200 à 1 000 habitants. Les plus grandes sont Sudbury en Ontario, avec une population de 155 900 personnes, et Saguenay au Québec, avec 143 700 personnes. Les résidents de ces communautés sont d'origines ethniques diverses.

L'exploration et la traite des fourrures

Les **Normands** sont les premiers Européens à avoir découvert le Bouclier canadien. En 986, pendant que Biarni Heriulfson naviguait dans l'océan Atlantique, le vent a fait dévier son voilier vers la côte est de Terre-Neuve. Plus tard, entre 1000 et 1350, des Groenlandais et des Islandais ont débarqué plusieurs fois sur les côtes du Nord canadien. Certains croient que Sir Henry Sinclair, comte d'Orkney, né en Écosse, a accosté sur l'île de Baffin en 1398. En 1497, John Cabot a revendiqué Terre-Neuve au nom du roi Henry VII d'Angleterre.

Le commerce des fourrures favorise l'exploration

Le commerce des fourrures était vital pour le développement du Canada. La fourrure d'animaux comme le castor était très demandée en Europe. Les Européens arrivés au Canada en ont fait le commerce avec les autochtones. Les employés des deux plus grandes compagnies de fourrures (la Compagnie de la Baie d'Hudson et la Compagnie du Nord-Ouest) étaient en grande partie responsables de l'exploration du Bouclier.

John Cabot et ses trois fils ont été les premiers Britanniques à partir pour l'ouest vers des terres inconnues.

En 1771, Samuel Hearne, employé de la Compagnie de la Baie d'Hudson, a été un des premiers Européens à atteindre le Bouclier canadien. Comme les explorateurs qui l'ont suivi, il espérait trouver le passage du **Nord-Ouest**, car plusieurs Européens croyaient qu'un chemin traversait l'Arctique canadien vers les richesses de l'Asie.

Peter Pond, explorateur américain travaillant pour la Compagnie du Nord-Ouest, a arpenté la région du Grand lac des Esclaves dans les Territoires du Nord-Ouest entre 1768 et 1788. En 1789, Sir Alexander Mackenzie, explorateur écossais travaillant pour la même compagnie, est devenu le premier Européen à atteindre l'océan Arctique en canoë. Le fleuve qu'il a parcouru a été nommé Mackenzie en son honneur.

Premières colonies

Quelques Européens se sont installés en permanence dans le Bouclier ; ils ont tissé des liens avec les autochtones. Au vingtième siècle, on a poursuivi l'exploration du Bouclier, mais certaines contrées demeurent inexplorées.

QUI ÉTAIT SAMUEL HEARNE ?

Samuel Hearne est né à Londres, en Grande-Bretagne, en 1745. Il s'est joint à la Compagnie de la Baie d'Hudson en 1766. Hearne a été choisi pour chercher un passage vers l'ouest à travers « les terres incultes », du Bouclier canadien. Il est devenu le premier Européen à traverser ces terres.

Hearne a tenté deux fois de trouver le passage du Nord-Ouest, en vain. Le 7 décembre 1770, il a quitté le fort Prince-de-Galles avec Matonabbee, illustre chef Chippewyan. Hearne et Matonabbee ont traversé le Bouclier à pied en suivant la migration des caribous pendant 19 mois.

Hearne a raconté à l'écrit son expédition, en décrivant Matonabbee et son peuple en détail, ainsi que son calvaire en ces régions désertiques. La plus grande réussite de Hearne a été d'apprendre à survivre dans les contrées glaciales. Il devait cet apprentissage aux autochtones.

Les légendes du Bouclier canadien

UNE HISTOIRE DÉNÉE : LA CRÉATION DES SAISONS

Les légendes autochtones du Bouclier canadien racontent souvent la naissance de la Terre et de la vie. Cette histoire explique comment les chasseurs dénés ont libéré des ours le printemps et l'été.

Les premiers habitants de la Terre devaient subir l'hiver toute l'année. Presque tout le sol était couvert d'épaisses couches de neige et de glace en mouvement. Le froid empêchait les arbres, les arbustes et les fleurs de survivre. Les rivières et les lacs étant gelés, l'eau ne coulait pas.

Un jour, des chasseurs rencontrent un ours portant un sac autour du cou. Ils lui demandent ce que le sac contient. L'ours répond en grognant que son sac contient toute la chaleur et la lumière estivales. Comme les chasseurs convoitent le sac, ils proposent à l'ours de faire un échange, mais ce dernier refuse. Les chasseurs supplient l'ours, en vain.

Le chef des chasseurs organise alors un grand festin en l'honneur de l'ours pour se donner l'occasion de lui dérober son sac. L'ours arrive en soirée pour déguster le festin d'orignal et de caribou, mais… il n'a pas le sac avec lui!

Après le festin, le chef fait suivre l'ours par des chasseurs jusqu'à sa tanière pour que ceux-ci s'emparent du sac. Les chasseurs se retrouvent dans une grande caverne : ils y voient deux ours veillant sur le sac. Une lutte féroce s'engage, causant la mort de quatre chasseurs. Avant de mourir, le quatrième saisit le sac pour libérer la chaleur et la lumière. En un éclair, l'air est inondé de chauds rayons solaires. La neige fond, formant des rivières et des lacs. Les monts et les vallées se couvrent d'arbres, d'arbustes et de fleurs. Depuis, les Dénés jouissent chaque année d'un été.

COMMENT LA SOURIS A SAUVÉ LE SOLEIL

Des autochtones de la région de Pukaskwa en Ontario racontent comment la nuit s'étirait et s'étirait parce que le Soleil était pris dans un piège, et comment des Anishnabes ont alors demandé à une souris de libérer le Soleil.

Un jour, un Anishnabe est sorti de son village pour tendre des pièges.

Le lendemain, à l'heure habituelle de l'aube, il fait encore nuit. Les villageois, inquiets, constatent que le Soleil ne se lève pas.

L'Anishnabe qui a tendu des pièges la veille déclare : « Je vais rechercher mes pièges dans l'obscurité. Ils ont peut-être pris quelque chose. »

En retrouvant un des pièges, l'Anishnabe découvre qu'il a capturé le Soleil! L'astre étant trop chaud pour être libéré, l'Anishnabe retourne au village.

« La nuit s'étire parce que le soleil est tombé dans un de mes pièges, annonce-t-il. C'est pourquoi il ne se lève plus. » L'on convoque donc tous les êtres vivants, même les animaux, à une réunion. L'on demande qui, dans toute l'assemblée, ira libérer le Soleil.

C'est à une souris, qui est alors le plus gros animal qui existe, que l'on demande de remplir cette mission.

La souris accepte et se rend à l'endroit où se trouve le pauvre Soleil capturé. Elle se met à ronger le piège, mais elle se met également à brûler et à diminuer de taille à cause de la chaleur. Pourtant, elle continue jusqu'à ce qu'enfin, l'astre soit libre.

Une fois qu'il a été libéré, le Soleil s'est levé. Cependant, la souris est devenue l'animal minuscule que nous connaissons aujourd'hui.

Les forêts et l'eau

Le Bouclier canadien n'est pas aride. Sa surface largement rocheuse est ponctuée de forêts, de rivières, de lacs, de collines, de vallées et de marais. Les rivières se jettent dans le golfe du Saint-Laurent au sud, ou dans l'Atlantique à l'est. Des forêts d'épinettes dominent à l'intérieur de la région. De nombreuses baies représentent des endroits protégés où s'établir le long des côtes.

Forêt boréale

Dans le Bouclier, la forêt boréale, qui sépare la toundra arctique des forêts feuillues méridionales, se compose de **conifères** (pins, thuyas, épinettes noires et blanches, sapins). On y retrouve aussi des bouleaux et des peupliers. Les hivers sont longs et froids, et les étés courts mais chauds et humides. Les précipitations annuelles atteignent environ 700 mm, dont plus de la moitié sont liquides. Le sol est enneigé durant cinq mois.

Rivières et lacs

Le Bouclier contient énormément d'eau. Durant les périodes glaciaires, les glaces ont creusé de profondes dépressions, lesquelles sont devenues des lacs et des rivières quand l'eau de fonte des glaciers les a comblées.

La majorité des plus grands lacs canadiens sont situés dans le Bouclier, qu'on pense au Grand lac de l'Ours, au Grand lac des Esclaves, au lac Athabasca et au lac Winnipeg. Par endroits, le Bouclier borde aussi les Grands Lacs.

Le climat dans les forêts boréales du Bouclier canadien est influencé par les masses d'air froid provenant de la baie d'Hudson.

Fondrière

Le Bouclier canadien s'étend surtout près du niveau de la mer. Dans ces basses terres, l'eau repose dans des milieux humides appelés fondrières, qui englobent des marécages et des **tourbières**. Le sol du Bouclier est généralement mal drainé. La fondrière est couverte de mousses, d'herbes et parfois d'arbres. Elle est constituée de plantes mortes, dont la tourbe et la sphaigne.

Dans la fondrière, le sol est mou, très **poreux** et offre une faible résistance au poids. C'est pourquoi la construction du chemin de fer du Canadien Pacifique au dix-neuvième siècle s'est avérée un défi.

Les plantes ont souvent de la difficulté à croître sous les pins. Très acides, les aiguilles de pin qui tombent rendent le sol impropre à la survie de nombreuses plantes.

LE SAVAIS-TU ?

- Le nom de la forêt boréale vient de Borée, dieu grec du vent du nord.

- Le granit qu'on retrouve au fond des lacs du Bouclier canadien ne se dissout pas dans l'eau. Comme ces lacs contiennent peu de végétation, l'eau est limpide.

- Plus du quart de la surface du Bouclier est constituée d'eau.

- Un entrepreneur nommé Joseph Whitehead construisait un tronçon de voie ferrée près de l'actuelle ville de Kenora, en Ontario. Il a dépensé 80 000 $ pour étendre dans un marécage 198 000 m² de gravier qui servirait de base solide sur laquelle poser les rails. M. Whitehead a fait faillite et n'a pu terminer les travaux. Le gouvernement canadien a donc pris en charge cette section du chemin de fer du Canadien Pacifique.

Les formations géologiques

Le Bouclier canadien comporte des collines, des plateaux, des vallées et des vestiges de montagnes. La portion qui traverse le nord-ouest du Québec, le Nord de l'Ontario, du Manitoba et de la Saskatchewan, ainsi qu'une partie du Nunavut et des Territoires du Nord-Ouest, est considérée comme de hautes terres. En effet, l'altitude dépasse celle des basses terres de la baie d'Hudson et des plaines Intérieures environnantes.

Les plateaux

La partie orientale du Bouclier renferme principalement des plateaux. Près des côtes, leur altitude moyenne est comprise entre 180 et 365 m au-dessus du niveau de la mer. Du cœur du Labrador au Québec, elle atteint 900 m. Les vallées qui sillonnent les endroits les plus élevés créent un **relief** de 150 à 300 m.

Les hautes terres

Les portions est et sud-est du Bouclier, y compris le Labrador et des parties de l'île de Baffin, sont considérées comme de hautes terres. Les montagnes atteignent de 800 à 1 500 m au-dessus du niveau de la mer. Les plateaux ondulés sont sillonnés de vallées glaciaires en U. Le littoral est ponctué de **fjords**.

Certains petits ruisseaux plongent de centaines de mètres à partir des falaises d'un fjord, créant de hautes chutes d'eau.

Les Mille-Îles

Dans le fleuve Saint-Laurent, entre l'est de l'Ontario et la chaîne des Adirondack dans l'État de New York, le Bouclier émerge de la surface de l'eau. Cette projection d'une longueur de 80 km constitue les Mille-Îles. Plus de mille îles boisées et rocheuses marquent le lac Ontario entre Kingston et Brockville. Certaines îles font plusieurs kilomètres carrés, alors que d'autres sont de simples rochers.

Les dunes de l'Athabasca

Les dunes de l'Athabasca représentent une **anomalie** dans la région. Celles qui bordent au sud le lac Athabasca, dans le nord de l'Alberta et de la Saskatchewan, sont les plus longues au Canada. Alors qu'elles se trouvent le plus souvent dans des régions désertiques, celles de l'Athabasca bordent 7 850 km² d'eau. Des visiteurs ont aperçu des arbres émerger des dunes ; en effet, en soufflant le sable, le vent peut immerger des arbres, puis les dégager ultérieurement.

L'île de Baffin renferme de nombreux fjords et montagnes couvertes de glaces. Les sommets atteignent jusqu'à 2 000 m.

LE SAVAIS-TU ?

- Les régions élevées du Bouclier canadien sont situées principalement entre 300 et 500 m d'altitude.

- Le mont Caubvick, point culminant de Terre-Neuve-et-Labrador, s'élève à 1 652 m. Il fait partie des monts Torngat.

- Le Bouclier est la première région de l'Amérique du Nord à s'être trouvée en permanence au-dessus du niveau de la mer.

Hivers longs, étés courts

Le climat du Bouclier canadien varie selon les secteurs. Il passe d'arctique à subarctique. Dans la zone arctique, les températures qui règnent toute l'année empêchent la croissance d'arbres. Dans la zone subarctique, l'hiver est froid, mais l'été assez chaud pour permettre à des arbres de pousser.

Dans le nord du Bouclier, les hivers sont longs et froids, et les étés courts et frais. Dans le sud, les étés sont chauds et humides, alors que du brouillard et d'abondantes chutes de neige surviennent en hiver. L'hiver, la partie orientale du Bouclier jouit des plus douces températures (-1 °C en moyenne) ; cette moyenne descend à -20 °C dans la partie occidentale. Dans l'ensemble du Bouclier, la température moyenne estivale est de 13 °C.

En été, le vent dominant vient du sud. L'automne, l'air arctique descend sous la limite des arbres, poussant l'air chaud au sud. Ce mouvement d'air apporte des tempêtes.

Des vents violents soufflent en septembre et en octobre, alors que novembre et décembre apportent des chutes de neige abondante.

La réserve de parc national Auyuittuq au Nunavut est une terre hostile de toundra aride, de sommets pointus, de fjords profonds et de glace.

En janvier et en février, la baie d'Hudson se couvre de glace, ce qui amène des températures glaciales dans le Bouclier.

En janvier, les chutes de neige sont moins fréquentes, mais le froid est mordant.

De la neige et encore de la neige

Au cœur de la forêt boréale, l'effet du vent est minime. Le sol sous la neige étant habituellement plus chaud et humide que l'air au-dessus. La chaleur et l'humidité migrent vers les couches supérieures de neige froide et sèche. Les molécules d'eau s'élèvent jusqu'à ce qu'elles se condensent et regèlent sur la neige froide en surface. Ainsi, au fil de l'hiver, les couches inférieures de neige s'amincissent et s'affaiblissent, pendant que les couches supérieures s'épaississent et se renforcent. Finalement, la neige est réduite à de fines billes de glace semblables à du sucre ; on l'appelle alors gros sel.

Du soleil, de la pluie

L'été, saison la plus ensoleillée dans le Bouclier, est toutefois la plus arrosée. Il pleut souvent un jour sur trois, et surtout en août. La partie occidentale du Bouclier reçoit 400 mm de précipitations par an, alors que certaines localités terre-neuviennes reçoivent jusqu'à 1 600 mm. Ces précipitations abondantes s'expliquent par la proximité de l'océan Atlantique.

LE SAVAIS-TU ?

▸ La baie d'Hudson est gelée de la fin décembre à la fin juin. La glace fond en été, mais la température à la surface de l'eau demeure près du point de congélation.

▸ Le sol est enneigé cinq mois par année. La neige, dont la température descend rarement sous -7 °C, fournit une couverture isolante à la faune de la région.

▸ L'épaisseur de glace sur le Grand lac des Esclaves peut atteindre un mètre en janvier – assez pour supporter un bulldozer de 20 tonnes.

Cartes du climat

Le climat nous donne une idée du temps qu'il fait dans une région. La température, la quantité de neige et même les saisons de croissance font partie du climat.

Lors de l'étude du climat d'une région, on recueille des renseignements comme ceux illustrés par les cartes et les graphiques des pages suivantes.

Température moyenne

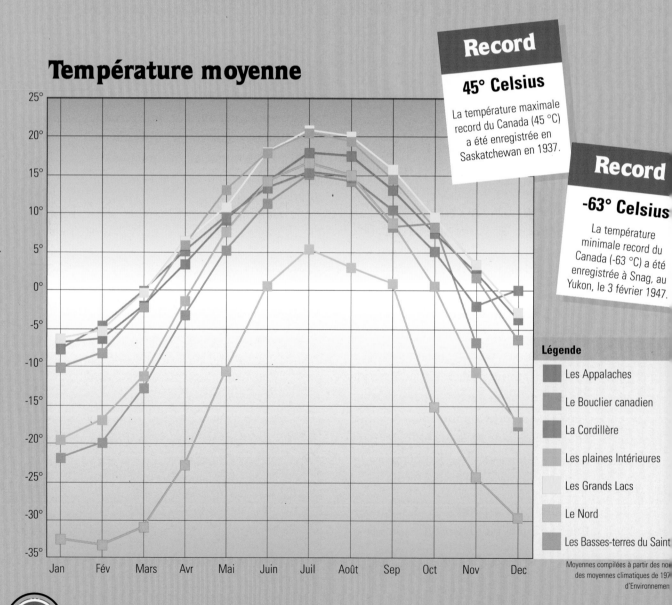

Record

45° Celsius

La température maximale record du Canada (45 °C) a été enregistrée en Saskatchewan en 1937.

Record

-63° Celsius

La température minimale record du Canada (-63 °C) a été enregistrée à Snag, au Yukon, le 3 février 1947.

Légende

- Les Appalaches
- Le Bouclier canadien
- La Cordillère
- Les plaines Intérieures
- Les Grands Lacs
- Le Nord
- Les Basses-terres du Saint

Moyennes compilées à partir des no▮
des moyennes climatiques de 197▮
d'Environnemen▮

Quantité de neige moyenne

Source : Canadian Oxford World Atlas, 4e édition, 1998

Record

118,1 cm

La chute de neige record en un seul jour (118,1 cm) s'est produite le 17 janvier 1974 au lac Lakelse, en Colombie-Britannique.

Saison de croissance

Source : Canadian Oxford World Atlas, 4e édition, 1998

Les incendies ravageurs

Beaucoup de forêts couvrent le Bouclier canadien. Les étés chauds et secs sont responsables de nombreux incendies de forêts dans cette région. La densité de population étant très faible, peu de gens meurent. Plus de 200 personnes ont toutefois perdu la vie lors de l'incendie de forêt le plus meurtrier au Canada, lequel s'est toutefois produit dans le Bouclier en 1916, à Matheson, en Ontario.

La sécheresse, cause du désastre

Matheson est une petite ville du Bouclier. Pendant l'été 1916, des colons déboisaient la terre pour en tirer des matériaux de construction et brûlaient le bois de mauvaise qualité. Parfois, les colons perdaient la maîtrise du feu, causant des incendies. Il n'avait pas plu depuis des semaines. Le 27 juillet, de nombreux feux de bois ont atteint des proportions dangereuses.

Le 29 juillet 1916, de forts vents ont propagé vers l'est les flammes à une vitesse de 40 à 60 km à l'heure, créant un incendie d'un diamètre de 64 km.

De gros incendies de forêt se produisent encore au Canada, mais les techniques modernes de détection et de lutte réduisent les dommages.

Des villes détruites

En un jour, le feu a détruit les localités d'Iroquois Falls, de Porquis Junction, de Kelso, de Nushka, de Matheson et de Ramore. Au total, 49 cantons ont été ravagés.

En 1916, les techniques de lutte contre le feu étaient beaucoup moins avancées qu'aujourd'hui. Les efforts pour le combattre ou le maîtriser étaient peu efficaces. Finalement, le retour de la pluie au début d'août a permis de circonscrire l'incendie. Environ 5 000 hectares ont été brûlés. Le nombre réel de morts est inconnu, mais selon les données, 223 personnes auraient perdu la vie.

Des facteurs comme le feu, le climat et le sol jouent un rôle important dans la composition des forêts canadiennes.

QUELS EFFETS LE FEU A-T-IL EUS DANS LA RÉGION ?

Le feu de Matheson a été bénéfique en démontrant le besoin de moyens organisés de lutte contre les incendies de forêt. En décembre 1916, une unité de protection des forêts a ainsi été créée au sein du ministère des Terres, des Forêts et des Mines. En 1917, l'Assemblée législative d'Ontario a adopté la Loi sur la prévention des incendies de forêt, laquelle constitue actuellement la base des lois sur la protection de la forêt dans cette province. En outre, cette loi vise à prévenir une autre terrible tragédie comme celle de Matheson.

Si destructeurs soient-ils, ces feux sont utiles dans le Bouclier canadien. La foudre allume la plupart des incendies dans la région depuis la pousse des premiers arbres qui a suivi la fonte des glaciers. Chaque kilomètre carré de forêt a probablement brûlé au moins quarante fois. Des arbres marqués par le feu, ainsi que des souches et des branches calcinées, jonchent le sous-bois. Pourtant, le feu maintient la forêt.

Sans le feu, ces forêts seraient improductives. En effet, il élague les vieux arbres et renouvelle la vie. De plus, il libère les nutriments emmagasinés dans le sol, et permet d'accroître la quantité de rayons solaires, de chaleur et d'humidité atteignant le sous-bois. Il favorise la croissance des arbrisseaux, et aide à enlever les débris végétaux ainsi que les aiguilles qui empêchent les nouvelles plantes de pousser. Le feu élimine aussi les nuisances et les maladies liées aux insectes. Un feu brûlant fournit en outre aux racines des arbres plus d'espace pour se nourrir des nutriments du sol.

Les ressources naturelles

L e Bouclier canadien contient beaucoup de ressources naturelles, notamment des minéraux, des forêts et de l'eau. Les mines, l'hydroélectricité et la foresterie sont les principaux secteurs d'activité de la région.

Richesses du sous-sol

Les constructeurs du chemin de fer du Canadien Pacifique comptent parmi les premiers découvreurs des richesses minérales cachées du Bouclier. Celles-ci comprennent de vastes gisements d'or, d'argent, de nickel et de cuivre. On retrouve aussi du fer et du zinc dans la région. Dans les villes minières du Nord canadien, on extrait ces ressources minérales. En Ontario, la ville de Sudbury, un des endroits où l'on extrait le plus de cuivre au pays, abrite un des plus grands gisements de nickel au monde.

> « Les constructeurs du chemin de fer du Canadien Pacifique comptent parmi les premiers découvreurs des richesses minérales cachées du Bouclier. »

Les minéraux extraits du Bouclier ont de nombreuses applications. Presque 85 % de l'or (dont le Canada est un des principaux producteurs au monde) sert à fabriquer des pièces de monnaie, des bijoux et des ornements. L'or sert aussi à l'électronique, à la dentisterie et à l'industrie aérospatiale. Pour sa part, le nickel sert traditionnellement à fabriquer des pièces de monnaie.

Au Canada, les pièces de dix et de vingt-cinq cents étaient anciennement en nickel pur. Maintenant, on fabrique ces pièces et celles de cinq cents en plaquant du nickel sur de l'acier. Plus de 60 % de la production primaire de nickel entre dans la composition de l'acier inoxydable ; plus de la moitié du cuivre affiné au Canada sert aux équipements électriques, notamment les fils.

Dans la pointe nord du Bouclier canadien, on a trouvé des gisements de minerais de fer, d'argent, de plomb et de zinc.

Énergie hydraulique

Le Bouclier canadien renferme une grande part des eaux du Canada. Les nombreux lacs et rivières de la région possèdent une énorme capacité de production d'hydroélectricité. On a construit des installations hydroélectriques de Terre-Neuve-et-Labrador aux Territoires du Nord-Ouest, en passant par la Saskatchewan.

Le Québec, principal producteur d'hydroélectricité du pays, possède de grands barrages. Cette province, comme le Manitoba, produit un surplus d'électricité vendu aux États-Unis. L'hydroélectricité produite à Terre-Neuve-et-Labrador est aussi vendue en majorité aux Américains.

Foresterie

Les conifères abondent dans le sud du Bouclier. Ils fournissent la majorité du bois de l'industrie des pâtes et papiers canadienne.

Le Bouclier canadien est réputé pour son industrie forestière, qui se concentre principalement dans les forêts boréales québécoise et ontarienne.

Y A-T-IL DES DIAMANTS AU CANADA ?

Les géologues savent depuis au moins 30 ans que les conditions dans le Bouclier canadien sont propices à la formation des diamants. Leur découverte est cependant récente dans la région : on les recherche intensivement, partout au Canada, depuis la fin des années 80 seulement. Dans la partie du Bouclier qui s'étend dans les Territoires du Nord-Ouest, des diamants ont été découverts dans des cheminées kimberlitiques. La kimberlite est un type de roche avoisinant les diamants. Une théorie suggère que le Bouclier s'est déjà trouvé au-dessus d'un point chaud juste sous la surface du globe. Pendant que le continent dérivait au-dessus de ce point chaud, des cheminées kimberlitiques se sont formées par endroits. On a trouvé de la kimberlite porteuse de diamants au nord de Yellowknife dans les Territoires du Nord-Ouest, en Alberta, en Saskatchewan, au Manitoba, en Ontario et au Québec.

Les sols du Bouclier canadien

Sauf dans quelques zones de faible étendue, le Bouclier canadien est généralement trop rocheux pour permettre l'agriculture. La piètre qualité du sol est attribuable au climat arctique et subarctique, au relief accidenté et à l'acidité de la végétation. Où le sol est suffisamment épais, sa profondeur varie et sa texture est souvent grossière.

Comment se forme le sol ?

L'eau et le vent aident à former le sol. Le vent le déplace d'un endroit à l'autre, pendant que l'eau qui coule dépose les sédiments dans le sol. Les incendies de forêt peuvent favoriser le développement du sol, mais aussi l'entraver. Ils peuvent enrichir le sol en libérant rapidement les nutriments emprisonnés dans les végétaux, mais aussi le détruire en le brûlant.

Dans l'hémisphère Nord, la plus puissante force à avoir façonné le sol provient des glaciers. Par endroits, ils ont déposé de grandes quantités de sol, alors qu'ils l'ont complètement balayé ailleurs.

Le Bouclier possède de longues bandes de sable et de roches nues. Un mélange d'argile, de sable et d'humus compose le sol. Comme ces éléments sont pauvres en nutriments, le sol est mince, froid, grossier, acide et détrempé.

Les conditions climatiques dans la taïga et la forêt boréale résultent en la prédominance de conifères rabougris, comme l'épinette noire et le sapin baumier. Après leur chute et durant leur décomposition, les aiguilles de ces arbres, qui contiennent de l'acide, imprègnent le sol. Cette acidité réduit la productivité des forêts.

Dans le Bouclier canadien, les pommes de terre sont principalement produites au Manitoba. Il s'agit de la culture légumière la plus payante au Canada.

Le sol du Bouclier appartient à un groupe modérément soumis aux conditions climatiques, et commun dans les forêts nordiques. Les deux principaux types de sols de la région sont les gélisols et les brunisols. Dans le Bouclier, les gélisols se trouvent le plus souvent dans la fondrière, où peu de chaleur atteint le sol. Les brunisols sont soumis aux cycles gel-dégel. Les familles de sols brunisoliques et podzoliques se trouvent habituellement en terrain élevé. La région renferme aussi des podzols, lesquels se forment en terrain sablonneux dans les forêts de conifères, de feuillus ou mixtes.

Pergélisol

La proportion de pergélisol varie à l'intérieur du Bouclier. Tantôt il domine, alors qu'il est dispersé ailleurs. Selon les zones, entre 30 et 80 % du Bouclier contient du pergélisol. Le pergélisol reste gelé durant au moins deux ans. Dans le Bouclier, ces parties gelées empêchent le drainage du sol ; par conséquent, le bord des rivières et des lacs est détrempé. Le pergélisol est aussi soumis aux changements de saison, qui altèrent le substrat rocheux et réduisent la boue durcie en **limon**.

Dans les basses terres du Bouclier près de la baie d'Hudson, le sol humide favorise la pousse des arbres.

LE SAVAIS-TU ?

- La pauvreté des sols oblige les fermiers canadiens à compter sur la science et les techniques. C'est pourquoi les pratiques agricoles au Canada comptent parmi les plus évoluées du monde.

- Les cultures qui préfèrent un sol acide, dont les patates, peuvent pousser dans un sol podzolique, qui contient de l'aluminium, du fer et des matières organiques.

Végétation clairsemée

L e sol mince, acide et détrempé du Bouclier canadien empêche la survie des plantes délicates. Les plantes résistantes possèdent des capacités d'adaptations leur permettant de vivre dans la région.

Lors de la fonte des glaciers, les premiers végétaux à avoir apparu dans le Bouclier sont probablement des lichens, plantes composées de champignons et d'algues. Souvent verts, gris ou jaunâtres, ils poussent sur des roches et des troncs d'arbres – où souvent rien d'autre ne peut survivre. Les lichens couvrent la majeure partie de la toundra dans le Bouclier canadien. N'exigeant pas de terre, ils poussent en s'accrochant aux objets environnants.

« Lors de la fonte des glaciers, les premiers végétaux à avoir apparu dans le Bouclier sont probablement des lichens. »

Arbres du Bouclier canadien

On retrouve des conifères dans la partie septentrionale du Bouclier, et des feuillus dans le sud. Ces derniers sont des arbres **décidus**, au bois dur. Des bouleaux jaunes et des érables à sucre poussent aussi dans la partie méridionale du Bouclier. Dans tout le Bouclier, on trouve également des épinettes blanches et noires, des sapins baumiers, des genévriers rouges et des bouleaux blancs. Alors que les épinettes blanches prospèrent sur les crêtes bien drainées, les saules et les aulnes bordent les cours d'eau, et les pins gris affectionnent les terrains sablonneux.

Les lichens poussent sur les branches des épinettes et des sapins, arbres communs dans les forêts subalpines du bouclier boréal.

Le faible mouvement de l'eau et la rareté de l'oxygène contribuent à la lente dégradation des tourbières, laquelle entraîne l'accumulation de tourbe.

Fondrières et tourbières

Au Canada, les fondrières se trouvent surtout dans la forêt boréale du Bouclier. Elles prospèrent où le froid est modéré et en terrain faiblement vallonné. Leur croissance est en outre favorisée par les précipitations et la sphaigne. On retrouve ces milieux dans le Bouclier sur une bande de 2 000 km, qui s'étire entre les rivières Nottaway et Harricana au Québec (au niveau de la baie James) et Churchill au Manitoba.

Les tourbières du Bouclier sont couvertes de sphaigne, laquelle acidifie l'eau de ces milieux. Ainsi, peu de plantes peuvent survivre. Toutefois, des végétaux comme le thé du Labrador, l'airelle rouge et l'épinette noire tolèrent ces conditions. La tourbe prospère aussi.

LE SAVAIS-TU ?

▶ Les tourbières et les autres milieux humides couvrent un cinquième du Bouclier canadien.

▶ Les lichens peuvent autant pousser dans un climat tropical que froid. En laboratoire, des lichens exposés à une température de -273 °C pendant des heures ont survécu.

▶ Chez les conifères, la **photosynthèse** débute dès l'arrivée du printemps. Elle peut même s'opérer l'hiver durant les redoux, si le soleil est assez intense.

▶ Avec ses 1,3 million de kilomètres carrés de fondrières, le Canada est le pays du monde où ces milieux abondent le plus.

La vie animale

Le Bouclier canadien abrite une variété d'animaux, d'oiseaux, d'insectes, de reptiles et d'amphibiens, allant de la minuscule mouche noire au grand ours.

« Dans les forêts du sud du Bouclier vivent plus de 20 000 espèces d'insectes. »

Mammifères

De nombreux mammifères habitent l'immense étendue terrestre du Bouclier. Les grands **herbivores** comprennent les caribous des bois et des toundras, le cerf de Virginie et l'original. Les petits **carnivores** comprennent le raton laveur, la mouffette, le tamia rayé, le castor, le porc-épic et le lièvre arctique. Des espèces dont la martre, la belette, le vison, la loutre commune, le coyote et le renard roux font leur proie de ces petits mammifères. Parmi les grands carnivores qui vivent dans le Bouclier, on trouve l'ours noir, le lynx du Canada, le lynx roux et le loup.

Oiseaux

Beaucoup d'oiseaux habitent le Bouclier. Les oiseaux de proie comprennent la nyctale de Tengmalm, le grand-duc d'Amérique, le pygargue à tête blanche et l'urubu à tête rouge. Les oiseaux chanteurs, dont le cardinal, la grive des bois et le bruant à gorge blanche, partagent la région avec les oiseaux de proie.

Les hiboux ne construisent pas leurs nids. Le grand hibou gris préfère s'installer dans un nid d'autour des palombes dans un marécage à mélèzes.

On trouve quatorze espèces de tortues au Canada. Elles vivent près des étangs, des marécages, des rivières et des lacs.

Reptiles et amphibiens

Des salamandres maculées, à points bleus et rayées, ainsi que des tritons verts, habitent les milieux humides. On trouve aussi des couleuvres rayées et à ventre rouge dans le Bouclier.

Insectes

Dans la forêt mixte et le sud du Bouclier vivent plus de vingt mille espèces d'insectes. À la limite des arbres, on en trouve dix mille, et au nord de la limite des arbres, environ mille.

Certains oiseaux, comme le bécasseau et l'alouette hausse-col, se nourrissent d'insectes tels que des guêpes et des coléoptères. On retrouve aussi dans le Bouclier des acariens, des papillons nocturnes, des papillons, des bourdons et des fourmis rousses.

Poissons

Les plans d'eau du Bouclier permettent d'y trouver beaucoup d'espèces de poissons. Les poissons prédateurs comprennent l'esturgeon jaune, la truite mouchetée, la truite grise, le grand brochet, l'achigan et le doré jaune. Les poissons qui sont leurs proies comprennent le grand corégone, l'éperlan et la perchaude.

LE SAVAIS-TU ?

- Au printemps, de vastes volées d'oiseaux aquatiques nidifient et se reproduisent dans les milieux humides du Bouclier. Parmi ces oiseaux, on retrouve le plongeon huard, la grue du Canada et la bernache du Canada.

- Les deux sortes de tortues du Bouclier sont la tortue hargneuse et la tortue peinte.

- Les poissons anadromes sont ceux qui vivent dans l'océan, mais qui pénètrent dans les eaux douces pour frayer. Le saumon de l'Atlantique, qui en fait partie, fraie dans le Bouclier.

Les changements et les défis

Depuis sa formation, le Bouclier canadien a subi plusieurs changements. Malheureusement, certains des changements que connaît actuellement la région menacent la faune, la flore et l'environnement.

Certains scientifiques estiment que 40 % de l'**habitat** du Bouclier demeure intact. De faibles étendues ont été fortement altérées par la conversion en pâturage. Mais l'industrie forestière a entraîné récemment des répercussions beaucoup plus importantes.

Les effets de l'exploitation forestière

Dans le Bouclier, il reste peu d'endroits inaltérés par la présence humaine ou les industries. Plus de la moitié des forêts du Bouclier ont été exploitées, et d'autres arbres seront bientôt abattus. Toutefois, des secteurs non colonisés et inexploités existent encore, surtout sur une vaste étendue au nord du lac Nipigon en Ontario. On retrouve aussi plusieurs zones intactes, plus petites, en Ontario et au Québec (surtout autour du lac Mistassini au Québec, situé dans le nord de la région, près de l'Arctique).

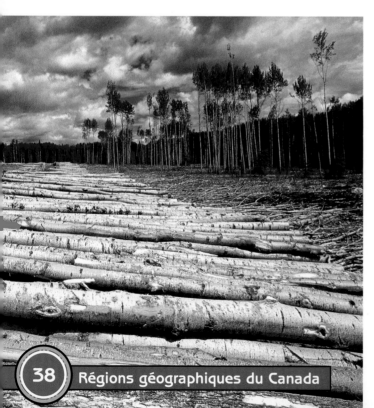

L'exploitation forestière n'élimine pas seulement les arbres matures : elle détruit l'habitat d'oiseaux et d'insectes. Maintenant, une vaste partie de la forêt compte seulement des peupliers et des bouleaux, où à l'origine se trouvaient des conifères.

Les coupes rases sur des pentes raides restreignent l'habitat faunique et la biodiversité, et entraînent l'érosion.

Le mercure menace la vie

Les animaux, les oiseaux et les poissons du Bouclier sont aussi menacés par la contamination au mercure. On utilise du mercure dans la peinture, dans les appareils de mesure de température et de pression, ainsi que dans les **médicaments**. Le mercure est un métal naturel. Sa forme organique, le méthylmercure, est hautement toxique. Dans le Bouclier, lorsque le mercure entre dans l'eau, il devient une menace pour l'environnement, la faune et les humains.

La contamination de l'eau au mercure décompose la végétation, ce qui réduit le taux d'oxygène de l'eau. Les poissons sont souvent exposés au mercure lorsqu'ils mangent des organismes contaminés, comme des plantes. Ils peuvent alors mourir. Sinon, ils peuvent être attrapés et mangés par l'humain. Par conséquent, pour protéger la population, les gouvernements de plusieurs pays, dont le Canada, demandent aux gens de limiter la quantité de poisson qu'ils mangent.

Q Doit-on interdire l'exploitation forestière dans le Bouclier canadien ?

NON	OUI
L'exploitation forestière emploie de nombreux Canadiens. Les bûcherons coupent des arbres, les camionneurs les transportent, les usines créent de l'emploi, et des milliers de gens utilisent le bois dans les secteurs résidentiel, du papier et du meuble.	Les forêts constituent l'habitat de nombreux animaux, oiseaux, insectes, reptiles et amphibiens. Lorsque les arbres sont coupés, leurs habitats sont détruits.
Par endroits, on coupe des arbres pour faire place aux humains. On doit leur permettre de s'établir où ils veulent.	L'exploitation forestière nuit à l'équilibre naturel de la région. Les forêts de conifères, qui dominaient dans le Bouclier, sont déjà minoritaires par endroits.
L'industrie forestière représente 3 % de l'économie canadienne. Il est important que le Canada continue d'exporter du bois.	Les arbres sont abattus plus vite qu'ils peuvent croître.

La vue d'en haut

Il existe plusieurs moyens d'observer une région. Les cartes et les photos, y compris les photos satellites, permettent de voir une région de différentes façons.

Une carte montre la surface d'une région. Elle peut révéler de nombreux détails, par exemple les lacs, les rivières, les frontières, les villes et même les routes.

Les photos offrent une vue rapprochée d'une région. Sur une photo, on peut voir des objets précis, comme des bâtiments, des personnes et des animaux.

Les photos satellites sont des images prises de l'espace. Un satellite éloigné de quelques milliers de mètres peut montrer des détails aussi petits qu'une voiture.

Questions :

Quels renseignements peut-on tirer d'une photo ?

À quoi sert une carte ?

Quels détails figurant sur une photo satellite sont invisibles sur une carte ?

Image satellite du lac à l'Eau Claire, au Québec

Lac à l'Eau Claire

Les scientifiques pensent que la formation du lac à l'Eau Claire est attribuable à l'impact simultané de deux astéroïdes, il y a 290 millions d'années. Ce lac du Québec septentrional fait partie du Bouclier canadien. Son nom fait référence à ses eaux limpides.

Quelles sont les différences entre cette photo satellite et une photo ordinaire ? Quels renseignements impossibles à obtenir à l'aide d'une carte en tires-tu ?

La géologie et ses outils

La géologie est étudiée depuis des centaines d'années. Les géologues analysent les roches, la terre et les surfaces de la planète. Même avant que la géologie ait un nom, les anciens étudiaient les roches et les minéraux qui les entouraient. Ils réalisaient des expériences afin de trouver les meilleures roches pour fabriquer les armes, les bijoux et les autres objets dont ils avaient besoin. Le silex, roche facile à tailler et à aiguiser, servait à fabriquer des lances. Les minéraux comme l'or et le cuivre étaient trop mous pour servir d'armes ou d'outils et étaient utilisés pour faire des bijoux.

De nos jours, les géologues utilisent des outils qui existent depuis des siècles ainsi que des outils modernes. Il peut s'agir de simples marteaux ou de matériel informatique perfectionné. Les géologues se servent de ces outils pour examiner les roches et les minéraux qu'ils trouvent lors de leurs fouilles. Les technologies et les outils modernes leur permettent également d'étudier la géologie en d'autres lieux, par exemple sous la mer, à l'intérieur des volcans et même sur la Lune.

Carrières en géologie

Qu'est-ce qu'un spécialiste en systèmes d'information géologique (SIG)?

Réponse : Les spécialistes des SIG travaillent en partenariat avec les géoscientifiques pour produire des cartes fidèles de l'emplacement des roches et des relations entre elles. Ils utilisent des données de télédétection, provenant des satellites, qui concernent les paysages, le sol et la végétation. Ils cartographient ensuite les données recueillies.

Les outils du métier

Le brise-roche ou pic :
Ce marteau spécial comporte une extrémité plate servant à concasser les grosses roches et une extrémité pointue utilisée pour dégager les petites roches.

Les rayons X :
Les rayons X permettent d'effectuer des analyses beaucoup plus précises de certains cristaux et minéraux. Les géologues qui étudient les fossiles ou les artefacts s'en servent pour examiner des objets délicats sans les abîmer.

La boussole :
La boussole permet au géologue de s'orienter. Avec les cartes, cet instrument très important lui permet d'atteindre l'endroit à étudier.

Le sismographe :
Le sismographe mesure les vibrations de la Terre. Le géologue l'utilise pour étudier le mouvement des plaques tectoniques, c'est-à-dire les énormes dalles de roche qui se déplacent sous la surface terrestre. Lorsque deux plaques entrent en collision, il se produit un tremblement de terre.

Les brosses :
Certaines des roches et des matières examinées par le géologue sont très délicates. Une fois qu'un objet a été découvert dans la roche ou le sol, le géologue utilise des brosses souples pour enlever la poussière et les débris sans endommager l'objet.

Le sonar :
Le sonar aide le géologue à cartographier des régions que l'humain ne peut ni atteindre ni voir à l'œil nu. Il émet des ondes acoustiques, puis le géologue détermine ce que le sonar a détecté selon le type de vibrations captées. Il peut ainsi cartographier la région.

Qu'est-ce qu'un géologue des glaciers ?

Réponse : Les géologues des glaciers étudient les propriétés physiques et les mouvements des glaciers. Ils recueillent, analysent et interprètent des données pour tenter de répondre aux questions qui concernent la Terre. Si tu aimes la recherche, la cartographie, les voyages et le travail en plein air, ce métier est pour toi.

Trace une carte topographique

Une carte topographique consiste en une représentation en deux dimensions d'objets en trois dimensions. Elle sert à représenter le relief de la Terre. Tu peux créer ta propre carte pour bien comprendre la topographie.

Matériel

Une feuille de papier affiche

Des marqueurs de différentes couleurs

Une brochette en bois

Un gros morceau de polystyrène de forme irrégulière

Un couteau pour tailler le polystyrène

Directives

1) Demande à un adulte de couper le polystyrène en tranches de 1 cm d'épaisseur.

2) Transperce le milieu des tranches de polystyrène et recrée la forme originale du morceau. La brochette doit traverser les tranches perpendiculairement.

3) Place ta forme de polystyrène au centre du papier affiche. Appuie fermement de façon que le bout de la brochette marque le papier. Retire délicatement les tranches de la brochette. Place la tranche inférieure sur le papier, en t'assurant que le trou au centre du polystyrène est vis-à-vis de la marque laissée par la brochette. Trace le contour de la tranche de polystyrène. Avec un marqueur d'une autre couleur, trace le contour de la tranche suivante.

4) Trace le contour des autres tranches, en utilisant une couleur différente pour chacune d'elles.

5) Marque en centimètres chaque ligne sur ta carte afin d'indiquer la hauteur de la couche. La couche inférieure doit porter la marque zéro.

Navigue dans ton quartier

Les géologues et les autres scientifiques qui étudient le Bouclier canadien travaillent souvent au milieu de la forêt boréale. Ils doivent donc être de bons cartographes afin de ne pas s'égarer. Les cartes aident les géologues à s'orienter. Cette activité te montrera comment ils tracent leur chemin de façon à pouvoir se retrouver en forêt.

Matériel

Un plan de ton quartier   Des marqueurs de couleur

Directives

1) Dans ton quartier, choisis une destination (ton école, l'épicerie, un parc, etc.).

2) Sur le plan, indique ton point de départ (ta maison) et ton point d'arrivée (ta destination). À l'aide d'un marqueur, trace le trajet que tu ferais à pied de chez toi jusqu'à destination.

3) Avec un ami ou un adulte, fais le trajet en emportant ton plan. Pendant que tu marches, remarques-tu des raccourcis que tu pourrais emprunter ? Il existe peut-être un passage entre deux maisons qui n'apparaît pas sur le plan. Utilise un marqueur d'une autre couleur pour apporter des changements au trajet sur ton plan.

4) Rendu à destination, compare les trajets. Des changements ont-ils été apportés ? Que pourrait-il arriver si tu empruntais un mauvais chemin ?

Lectures complémentaires

Livres

Pour en savoir plus sur le Bouclier canadien :

Berton, Pierre. *Steel Across the Shield*. Toronto, ON: McClelland & Stewart, 1994.

DesRivieres, Dennis, Colin M. Bain, and Robert Harshman. *Experience Canada: A Geography*. Don Mills, ON: Oxford University Press Canada, 2003.

Sites Web

Pour en savoir plus sur le Bouclier canadien, visite la page Web du :

Conseil canadien des aires écologiques, à
www.ec.gc.ca/soer-ree/Francais/vignettes/default.cfm

Pour en savoir plus sur les reliefs, le climat et les habitants du Bouclier canadien, visite le site :

get2knowcanada.ca
www.get2knowcanada.ca

Pour en savoir plus sur les différentes régions du Bouclier canadien, visite le site :

ocanada.ca
www.ocanada.ca/geography/regional.php

Glossaire

algonquien : se dit d'une famille de langues parlées par un groupe des Premières Nations

Algonquins : une des Premières Nations

anomalie : écart par rapport aux caractéristiques générales d'une région

carnivore : animal qui se nourrit de viande

conifère : arbre qui porte des cônes

décidu : se dit des arbres qui perdent leurs feuilles à la fin de la saison de croissance

érosion : effritement graduel des roches et de la terre attribuable au vent et à l'eau

fjord : bras de mer long, étroit, profond et bordé de pentes raides

fondrière : marais ou marécage

forêt boréale : forêt la plus nordique et la plus froide de l'hémisphère Nord

fossile : trace d'ancien animal ou plante conservée dans la pierre

habitat : milieu où vivent les plantes et les animaux

herbivore : animal qui se nourrit de plantes

igné : se dit de roches ou de substances naturelles qui se sont solidifiées à partir de matières fondues

limon : particules de sable ou de roche

médicament : substance chimique servant à des fins médicinales

minéraux : substances naturelles qui ne sont ni des plantes, ni des animaux

Normands : peuple de Scandinavie

passage du Nord-Ouest : passage par bateau dans l'Arctique, reliant les océans Atlantique et Pacifique

période glaciaire : période où la Terre était recouverte de couches de neige et de glace

photosynthèse : processus par lequel les plantes s'alimentent à partir de l'eau, du dioxyde de carbone et de la lumière solaire

poreux : se dit d'une matière qui laisse passer l'eau

procaryote : organisme, tel qu'une bactérie, sans noyau

relief : forme du terrain, en ce qui concerne l'élévation de tous les points

roche métamorphique : roche issue de la transformation d'une roche existante par la chaleur ou la pression

substrat rocheux : masse rocheuse solide sur laquelle reposent de la terre et des roches meubles

toundra : plaine sans arbres

tourbière : terrain humide et spongieux

Index

Alberta 6, 23, 31

climat 4, 10, 20, 24, 26, 29, 32, 35

fondrière 7, 21, 33, 35
forêt boréale 15, 20, 21, 25, 31, 32, 35

glaciers 11, 13, 20, 23, 29, 34, 43

incendies de forêt 28, 29, 32

kimberlite 31

Manitoba 6, 22, 31, 32, 35
minéraux 7, 12, 30, 42, 43

Nunavut 6, 22, 24

Ontario 6, 15, 19, 21, 22, 23, 28, 29, 30, 31, 38

Pangée 10, 11

Québec 6, 15, 22, 31, 35, 38, 41

Saskatchewan 6, 22, 23, 26, 31
sol 4, 5, 7, 11, 12, 13, 21, 25, 29, 32, 33, 34, 38, 42, 43

Terre-Neuve 6, 16, 22, 23, 25, 31
Territoires du Nord-Ouest 6, 14, 17, 22, 31
Topographie 8